# THE GANGA

**This book is to be returned on or before
the last date stamped below.**

# THE GANGAN FUIT

by

## ELLIE McDONALD

## CHAPMAN

1991

Published by
CHAPMAN
4 Broughton Place
Edinburgh EH1 3RX
Scotland

The publisher acknowledges the financial
assistance of the Scottish Arts Council
in the publication of this volume

British Library Cataloguing in Publication Data
McDonald, Ellie
   The Gangan Fuit
   1. English Poetry 2. Scotland
   I. Title
   821.914

ISBN 0 906772 27 3
(Chapman New Writing Series, ISSN 0953-5306)

Some of these poems have been published in *Akros, Cencrastus,
Chapman, Fox 4, Gallimaufry, Lines Review, Modern Scots Verse 1922-
77, Other Poetry, Pequod, Scottish Poetry 8, Scottish Poetry 9, Scottish
Review, Seagate 1, Seagate 2, Seer, Words.* Several appear on the cassette
*Twa Chiels and a Lass* released by Scotsoun, Glasgow G12 8SP

\*

Typeset by Lothlorien Typesetting
4 Broughton Place, Edinburgh, EH1 3RX

Printed by Mayfair Printers, Print House,
William Street, Sunderland, Tyne & Wear

# CONTENTS

Cover design by Gillian Ferguson

"Poetry," Robert Frost remarked wryly, "is what gets lost in translation." In the beam of his insight, Ellie McDonald looks like what she is - a born "makar" of untranslatable verse. She herself casts a withering eye on translation:

> Nou, the makars scrieve
> Translations aneath thir poems
>
> sae that edicatit fowk
> can jalouse thir implications.

The irony is characteristic. And certainly no glossing haze out of "the Halls o Academe" diminishes the tangy precision of Ellie McDonald's Dundee Scots. As any real poet knows, poetry is no more a mixture of language and meaning than water is a mixture of hydrogen and oxygen. Poetry is a compound of sound-atoms and meaning-atoms, a complex molecule formed by the chemical reaction that takes place when a poet catalyses the elusive components of a particular history and culture.

The Scots tongue is, or should be, of special relevance to the emerging European Community because the language breathes life into common ancestors. Its speech preserves vestigial roots and stumps of Latin, Old French, German and Norse; it sounds, somehow, mediaeval. At the same time, most Scots words are sharp-tongued first cousins of English words: mither for mother, auld for old, mair for more, and so forth. So the English reader has at least a handle with which to grasp the gist of any Scots poem.

Nevertheless, it's that buried European stock which provides the pulse-words and gives rise, for example, to a verb like 'jalouse', which means, essentially, to uncover. The word may be related to the French noun *Jalousie*, a shutter or Venetian blind, as well as to various shades of meaning that cluster around the Anglo-French 'jealousy'. In a bristling Scots version of Hamlet's soliloquy 'To be or not to be', Ellie McDonald renders both 'bear' and 'suffer' as 'thole' (Old Norse *thola*, to endure), a word Seamus Heaney often uses, too, in an Irish context.

Like her master, Hugh MacDiarmid, Ellie McDonald is a fighting nationalist, a defender of Scots as a way of speech and life, a natural lyricist who flashes from comedy to pathos, from love to lusty 'flyting' with the 'smeddum' of a poet defending a threatened tradition. Her celebrations are equally laments:

> An whit's it worth
> gin the warld's melled
> intil a village, tae speak
> o Scots ingine or egalitarian thocht
>
> or waur - language.

If Scotland and the Scots language beat together like heart and soul in this book, their common theme is human frailty and the "itherness" that surrounds it. MacDiarmid himself might have envied the "gowden" lines of the title poem, with their straight approach to horror:

> Whit seeks tae come inby the nicht,
> nae bield has ever haen,
> but haiks its gangrel body, whaur
> eternities cry doun.

I have known and admired Ellie McDonald's poetry ever since I met her in her native Dundee in 1973. In this long-overdue collection, her sharp humour, affectionate gumption and infallible ear combine to produce as enjoyable a book of poems as has appeared in Scotland for many years. Here is poetry for Scottish readers, certainly. But perhaps she has shown us all that in an age buffeted by information technology and world-wide jargon, it is possible to draw fresh, unpolluted language from Scottish and European sources that lie surprisingly close to our ken.

Anne Stevenson
Langley Park, Durham.

# IN THE BEGINNING

Paradise it wis - yon glorious
acres o gowden yirth an a rowth
o flouers wi sic a scent
wad sair the Queen o Egypt.
Whiles i the gloamin
the Laird himsel wad cry in
for a crack an weet his whussle
wi a drappie whisky. Syne we'd hae
a lunt o baccy or a haund o rummy
tae pass the daurk Februar nichts.
I wis weill contentit
til ae day the chiel cam by
wi yon sleekit look an stertit
speirin if I wisnae lickit, warslin
awa on my ain, an had I nivir
griened for anither pair o haunds?
It didnae tak muckle gumption
tae jalouse that he wis ettlin
tae wark ain o his ferlies
an forby, atween the tattie howkin,
shawin neeps an reddin out the byre
I wis fair trauchlit whiles.
Sae I thankit him kindly -
syne he gied me the awfiest dunt
i the ribs, an there she stud -
a shilpit wee craitur wi naither
briests nor hurdies fit tae grace
the glossies lat alane the ploo.
Weill said I (ablow mi breath)
that cows aa! fin yersel anither
gowk tae faither yer ferlies
for I'll gang my ain gait
i the warld efter this.
Gaithered up my graith
an merched awa tae the biggin,
wi the lassie traikin alang ahent.

# SANG O JOY

Luv - I ken ye bi yer sang
an saikless as a bairn
I walk the caller gress.

Luv - I ken ye bi yer sang -
an i the souchan wind
amang the whins I hear yer voice.

Luv - I ken ye bi yer sang -
an i the drounan daurkness
o the loch I see yer face.

Bide - sae I can learn
that timeless sang - an fin
the drumlie depth far less
than oor luv is.

Laddie, my laddie,
nae words o mine,
wrocht in this course land,
whaur nocht is gotten
wi'ooten pain,
cud ever match
sic sangs o luv
that skail frae safter leids.

For aa that,
I luv ye, bonnie laddie.

# SMEDDUM

Me - fashed? I dinnae gie a docken
ye thrawn, carnaptious
misbegotten deevil o ill-luck.

Ye pickt the wrang lass
gin ye thocht I'd shaw the warld
a sair begrutten hert. Forby

tulziesom tykes aye hirple hame
an fine I ken, at the hinner end,
I'll hae ye back - ye scunner.

# THE ACT

Across your stage I do my Garbo act
to thunderous applause from those
who heard the wine was free, but
someone really ought to have a talk
with the director as he waves his arms
and draws parabolas for me to climb
because each time I reach the top
I roll right down the other side
and there along the floor
he's had that sign repainted
only how I was supposed to see it
way down there?

Once the band began to play and all
the lions and the tigers came on stage
the crowd just drifted off towards the bar.
But me, I liked the smell of sawdust
and the way it soaked the blood that
kept on running between my toes,
but someone really ought to have a talk
with the director as the bandages
begin to bite right into bone,
only no-one wants to bring the lights
up yet - least of all George Washington
who brought along the sawdust for the play.

## POEM FOR AN ARTIST AT WORK

To move would be to break the line
you are sketching behind your eyes,
so I allow the smoke to curl
undisturbed from my cigarette

as your eyes move delicately down
my fingers. But the need for privacy
remains beyond the surface
and I contrive to keep the distances

intact by gestures of pretence.
Yet you insist that Pictish forts
are still inhabited, leap time
and found realities in stone.

I shift with care, hold still
the necessary distance, despite
a tightening of the skin,
footsteps in the grass.

# RENOIR: LUNCHEON OF THE BOATING PARTY

*(for David Hockney)*

Sic slaisters, yon table wi bottles
a glesses aa owre the place.

In the efternuin tae if ye plais.
Ain had a dug held up til her mou.
The faggot near gied me the boak.

An men in thir semmits,
juist lik they'd come aff
the back shift an hour syne.

Sae fou o thirsels they wir
lauchan an drinkan.

Thon's no my idea o picters ava
that's mair yased tae conceptual art.
The hale thing wis juist owre much.

Guid joab for Renoir he dee'd whan he did.
They widnae tak thon for the Tate.

Nae chance.

# GIN I WERE A LADY

Gin I were a lady
genteel lik, wi aa the graces
ye cud ever wish tae see.
Listenan tae the uncoguid an aa their havers
wi'oot a vision loupan up o puttan stots.
Spieran in a voice that minds ye o a burn
rinnan owre the stanes,
an smilan, no owre much,
aa tapert out tae them as taks my ee.
Hou proud ye'd be,
Bruce wi his favourite cuddie
shawan its paces tae the sassenach horde.
Yon lassie's mine ye'd say.

Och laddie, s'no for me.
Tho bonnie made the pooch micht be
ye'd still smell the glaur an strae.
There's plenty o the lik aaready i the warld,
an whiles I ken whit's richt far mair nor ye.
Lik as no I'd skirl an lauch,
an aa the heids wad turn, dumfoonert wi shock.
It wadnae dae.
The social laws were niver melled wi grace,
an sair I'd be for takan up wi cock lairdies.
Wheesht nou,
there's mair tae life than ocht they ettle,
cuddle doun aside me.

Ye maun hae kent
whan ye sailed they last twa thrie mile upriver,
ye maun hae kent ye wir comin hame.

The roar o the fowk
wha stude fower deep frae the Castle tae the toun,
the roar o the fowk wis aa for you.

Cum awa ben
intil the hert o the city that cries ye its ain.
Cum awa ben, prodigal dauchter.

# FLYING LESSONS

Back an forrit atween the turrets o the Central Library
a wheen o halliket herring gulls gae soopan an skreichan
wi a din like tae wauk the deid. Their littluns, teeteran
alang the ledges, watch fair bumbazed, as grown-ups
jouk an weave an tummle catmaw through the air.
Tak tent, tak tent, nae second chancies here,
nae canny rocks tae divie aff, nae seaweed slides
tae safety. Ye'll only need tae hyter aince
an doun ye'll blatter on the tap o Rabbie's heid.
But gin ye think life's easier for me
tak a bit keek owre. That's me, joukan atween thae
double deck buses, wishan tae hell I had wings.

# THE GAFFER

Doun the coup I saw him
hauf clairtit wi glaur.
Stoppan juist tae dicht the sweit
afore takan anither breenge
at an auld bedstead.

Aince that wis heistit intae place
he'd hae that heidland feenisht.
His een swep alang the waater's edge.
A guid day's wark, but haurd, haurd,
haudan forrit aa the time.

The morn nou - he'd bigg an island.

# SUNDAY SPECTACULAR

I went tae watch a marathon last week.
Near twa thousand puir dementit craiturs,
ilk ain hauf nakit, forby thrie waiters,
Santy Claus, seiven fairies an a freak

cried Quasimodo, wha bungèd a plastic
cup at me, for naethin. The spectators
cheered thaim on like they wir gladiators
about tae dee. A pucklie were fell seik

lookin onywey. Man, you wis a faur
cry frae the Olympics. Drappin like flees,
Doctors, polis, ambulances aawhaur.

Minds me on yon Greek loon, Phaidippides.
Ran aa the wey tae Athens frae the war,
Syne drappit doun, stane deid o hert disease.

# "AND DAVID DANCED BEFORE THE ARK"

Guid sakes man, hae ye gaun gyte
traipsin about in yer sark?
The laird'll gie tae ye the wyte
for fulin about wi his Ark.

A bonnie exhibition for a King
tae mak, loupan owre the cassies
daein the Hieland Fling
like a muckle gowk. The lassies

aiblins thocht ye braw - ye widden
heidit feckless redeless randy.
I telt ye that ye'd licht i the midden
atween usquebae an hochmagandie.

Ye'll get yer sairan dinnae fear
ye'll no aye gang scart free,
but ae think shair I'll no be here
ye've seen the last o me.

*King David was married to Michal the daughter of Saul when he brought
the Ark of the Covenant to Jerusalem. She watched him from a window.
I Chronicles 15.29*

# LOCH BRANDY

From where we sat the only thing moving
was two miles down, man-made and alien,

its wheels tenaciously gripping
the rattling road out of the glen.

On Ben Reid the sheep had stopped
being surprised and watched us stoically

as we adjusted our eyes to measure
the nearer stillness of the lochan.

It is perspective we are losing,
as brick by hurrying brick we build

our temporary barricades.
The view from the top is suicidal,

yet sooner or later the desire to jump
will become too strong: the distance

made feasible by defective vision.

# SOLSTICE

Light running under the trees
holds the day up for inspection.
The river has gone down,
and the rocks
have arranged themselves
in neat, flat rows
for city dwellers.

The sullen river waits,
knows that sky will darken soon,
and water rise to
more accustomed heights.
Step delicately then,
for green slime takes its victims
easily.

# UNCLE

Sam was a family embarrassment
in down-at-the-heel shoes and muffler,
exuding a delicate aroma of fish and chips.
His infrequent visits were I suspect

vaguely connected with cash and the failure
of yet another certainty at Newbury,
but to me they were something close
to magic - for who else could find

an ace of Hearts behind my ear, or build
a house of cards that never fell?
No-one else's uncle had ever held
a whole platoon of Germans in a trench

at Passchendale, nor played the concertina
for the Kaiser. Once he let me hold his medals,
two bronze and one silver hung from coloured
ribbon on a long gold clasp.

They too belonged to the magic time.

When he died, they scattered his ashes
from the window of an overnight sleeper
as it pounded across the Tay Bridge.
His final suspension of disbelief.

# WIDDERSHINS

Our mither tongue wis dung doun
in Scotland bi John Knox.

Juist tae mak shair
it bided yirdit

the weans got thir licks
frae the dominie

for yasin the auld leid
but it niver dee'd, though

a hantle o fowk hae trockit
thir tongue for a pig in a poke

an a sicht mair ken nocht
but a puckle o words.

Nou, the makars scrieve
translations aneath thir poems

sae that edicatit fowk
can jalouse thir implications.

# LIMBO

Hae ye seen yon words o mine
on yer traivels?
I gied them aa awa,
an ilk ain sae dear.

They maun be ettlan
tae be hame nou,
my puir wee hurtit bairnies.
Wad ye ken them whan they spak?

# SOLILIQUY

*efter the suddron o Wm Shakespeare*

Tae be or no tae be,
wad that I kent the gait that's richt.
Whither it taks mair smeddum
tae thole ilk skud an scart
o a fashious fate,
or gang tae war agin a wecht o waes
an bear the gree.
Tae win awa, tae courie doun
nae mair, fauldit sicker i the daurk
that lowses the riven hert frae pain
I'm fain tae be.
Tae win awa, tae courie doun,
tae courie doun, aiblins tae dream
aye that's the fasherie.
For whan the sheilin's duin
the mool maun haud sic wudden dreams
as mak us raither bide sair hudden doun.
for wha wad thole times sturt an strife,
illgaited tyrants, pauchty chiels,
the hertache o begunkit luv, the frist o law,
an aa the miscaains tholed frae orra misleart sumphs
whan bi his dirk he micht his ain paise fin
Wha wad thole a back wecht,
pech an sweit alang a trauchlan gait
binnae fur ae thing -
whit lies ayont aye taks an unco grup,
that wankent warld whase yett is steekit fest
fankles the mind, an gars us raither thole life's fecht
than tak the gait we dinnae ken.
Sic thochts mak cuiffies o us aa,
an naitrel virr gangs blae
wi thochts wad gar ye grue.
Anent this, skeely ploys gang far agley
an dwine tae nocht.

# WUDDEN DREAM

Like oorie bats i the gloom o deid
a fremit thrang wi spieran een
whud through the loup tae the reid-wud yirth
wi an endless sounless screich.

'Fore man was lowsed abune the heicht
nor baists nor faddoms stirred,
my sowl gaed goulin i the loup atween
the mirk an the dawin reid.

# THE GANGAN FUIT

Whit ist that greets outby the nicht,
that fakes tae fin the sneck?
*It's juist the wind, my bonnie lass,*
*gaen speiran i the daurk.*

Whit ist that greets outby the nicht
that keens abuin the ruif?
*It's juist the glaid, my bonnie lass,*
*gaen seekin i the lift*

*The glaid gangs free, my bonnie lad*
*kens nocht o daith nor birth,*
*the wind but cairts aa human pain*
*tae ilka howe o yirth*

*Whit seeks tae come inby the nicht,*
*nae bield has ever haen,*
*but haiks its gangrel body, whaur*
*eternities cry doun.*

# FAIRANS

Abune the ravellit claes
my heid gaes birlan.
Drunk? Naa, glorious.
Lippan owre wi life's
illyased intoxication.
Sae bonnie hochmagandie
wha cried ye gorkie names?

For aa begoud
wi sicca celebration.
An Athole-brosian,
halliracket reemle-rammle
cuist up frae the glaur
tae ligg there, crimson-mou'd
upon a bolster.

Out owre yer jizzen-bed
rowed aa the warld's wunners
Sinsheen an siller licht
ain wi the sang I sing
i the mornan's glory.
Sae bonnie hochmagandie
thrum on ayont the snorl.

# BITTER HAIRST

Nae stars i the lift
juist a croodlan wund tae be my jo,
an daurkness straikit out
ayont eternity.

Ahent my een
I ken o emptier places lost tae licht,
an endless ghaists that aince
were you an me.

## LUV SANG 2

Nae mair nor a saumon kens
whit gars it loup, til it fins
its wey tae the burn's deep pool.

Nae mair nor the burnie kens
whit gars it sing owre the stanes,
at the licht-dancin rise o the sun.

Nae mair div I ken whit cried
ayont thocht or sicht or soun,
but gart this hert win hame tae you.

# MAN I THE MUIN

Man i the muin he's staunan an chauvan
wi a graipful o breers he's warslan awaa.
Sic a wunner it is he disnae gang skitan
wi joukan an trummlan sae feart gin he'll faa.
The jobes aff the breers his claes hiv aa rivan,
muckle he tholes frae the cauld an the snaa.
Nane i the warld tae ken whan he's sittan
an forby the hedge there's naethan ava.

The puir wally-draigle his ae fuit has littit
syne stoppit afore he's oniethan duin.
Nae stobs has he biggit, nae slaps has he reddit,
naethan tae shaw aa this time on the muin.
Fell sweirt is the man tae get hissel shiftit,
siccan a fash an a trauchle he's haen
sin the gaffer he wrocht fur his arle arrestit
for stailan sum breers that werenae his ain.

"Lippen tae me, ye fushionless craitur,
tak yersel doun here, dinnae be feart.
I've thocht up a tare the deil cudnae better
tae win back yer arle wi'out muckle sturt.
We'll fill the nyaff up wi whisky an waater
wyse up the wife intae takin a pairt,
syne whan he's dozent wi drink, it's nae maitter
tae skaigh back yer arle frae yon bunnet-laird"

Whit ails the man, peyan nae heed tae a brither,
is he deif i the lug that he hears nae a soun?
I'se warrant he'd raither staun there an swither
than tak tent o law, the neep-heidit loon.
"Ye thievan wee pyat, its tane or its tither,
Deil kens yer wame maun be whummlan aroun"
but naa, tho I'm lossan the rag aathegither,
yon dour feckless tyke is biddan abuin.

*This is a translation of the Early Middle English lyrical poem (BM.ms Harley 2253). According to a widespread folk tale, the man in the moon is supposed to be a peasant who has been banished to the moon because he has stolen the thorns or brushwood which he is still carrying on his fork. Watch at the next full moon and you may see him stepping up the right hand side.*

# NAETHIN BIORDINAR

Guid efternuin tae you, John Forrester.
Man, ye're a gey dour-lik ancestor
liggan there in a stane kist.

A braw chiel ye maun hae been
corrieneuchan wi the King
til the smaa hours.

Nou, ye're miesslan awa wi the lave.
A rickle o banes i the nave
o Corstorphine Kirk.

Naithin biordinar.

# DANSE MACABRE

Out the backies,
in bricht yella hard hats,
the laddies
hemmer doun the wash house.

A Government Directive
in the name of Environmental Improvement.

Shut yer gub an be gratefu.

It's aa ain tae the laddies,
wha sit atap the wash house ruif,
bungan broken sclates
at onythin that muves.

# JUTE MILL SANG

Baxters Upper Dens Mill, a hauf mile roun
o muckle stane waas an iron yetts.
The bummers quaet this lang while syne.
Nae siller nou in jute an niver wis
for them that wrocht twal hours a day,
but gied a creshy linan tae the bosses pouch
an biggit railroads hauf across America.

Ilka day, ilka day, ilka day, the hemmers
ding doun the waas o Baxters Upper Dens.
Naebody kens whit's tae be pitten in its place,
naebody greets for its demise.
An stour blaws frae the houkit out wame o't
sclairtan the cars an buses that birl awa
tae concrete fields o spacelessness.

# PRESERVATION ORDER

They've haen tae caa doun McGonagall's house,
Dry rot wis intil the founds.

Naethan for it but the demolition squad,
Hard hats an sledge hemmers.

Twa three fowk gaithert tae watch
but it didnae tak lang.

Syne aathin wis cairtit aff tae the coup.

# ANATOMY LESSON

"Whit dae ye mean cod lugs? They've no onie"
I stertit in surprise. "Of course they hae
lugs. I've seen them i the fish shop windae
saxty pence the pund. I'm no a loonie

aathegither. "Funny? Whit's sae funny
about cod lugs? Ye'd eat cod fingers tae
a band playin an no speir whaur they cam fae.
Ten fingers tae ilk box. Juist hou mony

puir fish wis dismembered for that? Wha kens?
Whit dae ye mean they've nae fingers anaa?
Ye've gone owre faur nou wi yer nonsense.

Ye maun think yer smert, but I wadnae craa.
Whan it comes tae anatomy, yer brehns
is in yer feet." Man, whit a coup d'etat.

# ITHERNESS

Cauld, grey waater heaves on the neap tide,
sweir as the sun i the north east.
Aince, faur back, bairnlike
I wad hae loupt heid first intilt,
had ithers, kennan mair nor me,
no biggit dykes tae haud me siccar.

They fand me a buckie shell
an held it tae my lug.
I saw their een tak pleisur frae my joy,
but Calvin wadnae lat them cry its name,
nor lat them hear abuin the toun's stramash
the benmaist raxins o the hert.

Yet aye the soun is i my heid.
Ayont kirk bells an carnivals,
hures an guisers, pouder an pent,
ayont the hale stramash
like a Bach Chorale
sings my stane kist.

Tuim faces at the gless
watch for the sailor boys
skailin frae the boats.
Gang tune the fiddle an licht the lamp,
for there's maiks for the guiser
an maiks for the hure.

Outby, the sea's roar fills the nicht.
Listen will ye!

10 year on

an Merch hauds nae bield
heich on the hill o Balgey.

A puckle trees hae blawn doun,
their ruits lik hurtit bairn's herts
crucify my een.

I ettlit tae scrieve
til ye then.

Min hou the leaves
reishelt abuin our twa heids,
sae close,

I thocht shair the soun
wis frae yer mou.

Whaur the tree-line ends
houses ligg nou,
huggeran the hill.

Aathin's happit up
fornenst the haar -

An me, trawlan owre
siller-green seas
tae gaither iodine

bareheidit i the weet.

Bide still
aneath my body.
Sen nicht has taen our sang
intil the daurk,

bide still an listen.
Licht years awa,
the starns are singan
til yer hert.

# TARANTY

I the blue an siller mornan licht,
wi white rime skinklan
bricht i the stibbly field,
I taen a roch an stany brae
tae the hill whaur
the twice-owre teuchat gret.

I heard a cushat cry
i the waukenan wuid, singan
its paraphrase tae the mornan's glore,
an i my thrapple
far-ben sangs unbiddan rose
attour the dreels o gowden licht.

Syne frae the trees, like reek
the wraiths o cloud cam heezan
- tae shaw a day
wi aa its ferlies
- rowan reid an blaeberry mou'd
that mell'd wi gowd intil a watergaw.

I heard nae soun
o the birch leaves faa
i the still November day.
Fient a haet did I gie
for the rowan haar
aff the caul nor-east,

nor wild geese,
fleean laigh owre the wuid.
Til the lang day's turnan
straikit itsel owre the yirth
an gied the reishlan gress
a bluid reid sheen.

Syne I gaed wi the licht
at its turnan,
doun frae yon smoory hill,
the day's aince-erran aa bi wi,
ae sang liggan
caul i the daurk.

# A MIDSUMMER NIGHT'S DREAM

## Act 3 scene 1

Bottom:     Is aabody here?

Quince:     Richt on time. An here's a braw wally place for practisin. This loan'll be our brods. Thir haw busses our chyngin chaumer, an we'll dae it the wey we'll dae it fornenst the Duke.

Bottom:     Peter Quince!

Quince:     What ails ye, Birky Bottom?

Bottom:     There's pairts o this comedy o Pyramus an Thisby whit'll no gang doun ava. For ae thing, Pyramus maun draa his dirk an dae awa wi hissel. The wemmin'll no abide that. Sae whit's tae bi duin?

Snout:      Loash bluss me, that's fearfu.

Starvling:  I dout we'll hae tae lave out the killin.

Bottom:     Damned affeir o't. Lippen tae me. Scrieve me a blad fornenst the play tae say we're no daein ony hairm wi our dirks, an Pyramus isnae killt ava, an forby that I Pyramus am nae Pyramus but Bottom the Wabster. Syne they'll no be feartit.

Quince:     We'll dae that than, screivit in strict ballant form.

Bottom:     Naa, naa, mak it in lang metre.

Snout:      Wull the wemmin no be feart o the lion?

Starvling:  I'm feart onywey.

Bottom:     Friens, tak a bittie thocht tae yersels. Tae bring forrit - guid grief - a lion amang weemin is an awfulik thing; there's nae mair frichtsom a baist than yer lion an we'll hae tae see tilt.

Snout:      We'll scrieve anither blad anent the lion.

Bottom:     Naa, naa, ye maun cry his name an mak shair hauf his phizog shaws out the lion's hause. Syne he

maun spik lik sae - "lassies" - or "bonnie lassies" -
"I want ye" - or - "I wad prig at ye" - or - "for
onie sake dinnae be feartit an trummle. Gin ye
think I come forrit as a lion than peity help us for
I'm nae sic thing. I'm a chiel lik ony ither chiel.
Syne cry his name straucht out: "Snug the Jiner".

Quince: Aa richt, but there's twa fiky things. Hou tae hae
muinlicht i the chaumer, for Pyramus an Thisby
met bi muinlicht, ye ken.

Snout: Is the muin out the nicht o the play?

Bottom: A towmond buik, a towmond buik. Luik tae the
almanach. Fin out gin the muin shines, fin out gin
the muin shines.

Quince: Aye, it's out that nicht.

Bottom: Weill, ye can lave the casement o the muckle
chaumer winnock ajee an the muin'll shine in owre.

Quince: Aye, aither that or ain o us'll com oan wi a breer
buss an a bawbee dup tae mak out they're
muinlicht. But forby that we maun hae a dyke i the
muckle chaumer for Pyramus an Thisby spak at a
crannie i the dyke.

Snout: Ye cannae humph in a dyke, eh no, Bottom?

Bottom: Ae chiel'll hae tae be a dyke wi a puckle fails or twa
three chuckie stanes or a bit harlin about him tae
shaw he's a dyke. Syne he can haud ae luif abuin
the ither, this wey, tae mak a crannie for Pyramus
an Thisby tae whiss at.

Quince: Gin we dae that than aathin's redd up. Nou, sit
yersels doun an get i the tid o't. Pyramus, you
stert, an efter ye've spak, gang ahent the busses.
Syne we'll gang aven on bi the cues.

44

# OUTNESS

Haud out yer hauns
an feel thir words
rin owre yer fingers.

Whan the fule
snichers i the silence,
pey nae heed.

Jine hauns wi me
an dance i the starns.

# HALLOWEEN

*Yon peerie bairnies*
*chappin at yer door*
*ken a sang ye maun hae tint*
*lang years afore.*

But suin the bairns'll sing anither sang
gin the schule has ocht
tae dae wi't. Thir mither tongue
cuist attour the midden heid.

An whit's it worth
tae staun fornenst the tide -
like as no, me an King Canute
taen as fules thegither.

An whit's it worth
gin the warld's melled
intil a village, tae speak
o Scots ingine or egalitarian thocht

or waur - o language.

Wad I hae Scotland's bairnies
aye outside the palins,
shoggin thirsels in a ghetto
aa day lang.

I'm threipin awa
til an auld sang the nicht.
Are ye needin ony guisers
wha sing in a minor key?

MacDiarmid, MacDiarmid,
Scotland's tapsalteerie,
an yer poems are deein
in the Halls o Academe

whaur "the true language
o their thochts"
's a faur cry frae Langholm
an faurer still frae me the nicht,

hert-seik for Scotland.

# Glossary

| | | | | | |
|---|---|---|---|---|---|
| Aawhaur | - | everywhere | chappin | - | knocking |
| abuin | - | above | chauvan | - | struggling |
| ahent | - | behind | chiel | - | lad |
| aiblins | - | perhaps | clairtit | - | smeared |
| aince | - | once | cock-lairdies | - | upstarts |
| aince-erran | - | single-purpose | coup | - | town rubbish tip |
| arle | - | earnest money given on | corrieneuchan | - | talk intimately |
| | | contracting work | cows aa | - | beats everything |
| attour | - | out over | crack | - | conversation |
| ayont | - | beyond | creshy | - | uneasy |
| | | | cried | - | called |
| backies | - | back gardens | cuist | - | thrown |
| ben | - | inner part of house | cushat | - | wood pigeon |
| benmaist | - | deepest | | | |
| begood | - | began | deid | - | dead |
| begrutten | - | tear-stained | dicht | - | wipe |
| bide | - | stay | div | - | do |
| bield | - | shelter | docken | - | dock leaf |
| biggin | - | house | dominie | - | head master |
| biggit | - | built | dour | - | stern |
| biordinar | - | extraordinary | dozent | - | stupid |
| birl | - | spin | drappit | - | dropped |
| boak | - | nausea | dreels | - | furrows |
| breers | - | briars | drumlie | - | clouded |
| breenge | - | violent movement | dung doun | - | beaten down |
| bumbazed | - | confused | dunt | - | blow |
| bunged | - | threw | dykes | - | walls |
| bunnet laird | - | small farmer | | | |
| bummer | - | factory hooter | een | - | eyes |
| bluid reid | - | blood red | ettlit | - | longed |
| | | | | | |
| caller | - | fresh | faggot | - | slut |
| cassies | - | stone setts | fakes | - | fumbles |
| caa | - | knock | fand | - | found |
| cairts | - | carries | fashed | - | troubled |
| catmaw | - | somersault | far-ben | - | deep inside |
| carnaptious | - | irritable | feckless | - | weak and ineffectual |

| | | |
|---|---|---|
| fell | - | very |
| ferlies | - | marvels |
| fient a haet | - | not one iota |
| fine | - | well |
| flees | - | flies |
| forby | - | besides |
| fornenst | - | against |
| forrit | - | forward |
| fremit | - | strange |
| fushionless | - | spineless |
| | | |
| gaed | - | went |
| gars | - | makes |
| gaffer | - | charge-hand |
| gait | - | way |
| gangrel | - | wandering |
| gangs | - | goes |
| ghaists | - | ghosts |
| gin | - | if |
| glaur | - | soft mud |
| glaid | - | kite hawk |
| gorkie | - | nasty |
| gowk | - | fool |
| goulin | - | howling |
| graith | - | tools |
| greets | - | sobs |
| griened | - | longed |
| gub | - | mouth |
| gyte | - | mad |
| | | |
| haar | - | sea mist |
| haiks | - | trudges |
| hale | - | whole |
| hantle | - | large number |
| halliracket | - | wild, noisy |
| havers | - | foolish talk |
| happit | - | wrapped |
| heezan | - | rising |
| heich | - | high |
| heistit | - | lifted up |

| | | |
|---|---|---|
| hinner | - | end, last |
| hirple | - | limp |
| hochmagandie | - | sexual intercourse |
| houkit | - | dug |
| howking | - | digging up |
| howe | - | low-lying area |
| huggeran | - | huddling |
| hurdies | - | hips |
| hures | - | prostitutes |
| hyter | - | stumble |
| | | |
| ilka | - | each |
| illyased | - | illused |
| inby | - | inside |
| intilt | - | into it |
| ingine | - | ingenuity |
| | | |
| jine | - | join |
| jizzen-bed | - | birth-bed |
| jo | - | sweetheart |
| jobes | - | thorns |
| joukan | - | taking evasive steps |
| jalouse | - | understand |
| | | |
| keek | - | glance |
| keens | - | howls |
| kist | - | chest |
| kennan | - | knowing |
| | | |
| laigh | - | low |
| licks | - | smacking |
| lave | - | remainder |
| leid | - | language |
| ligg | - | lie |
| lippen | - | spilling |
| lippen | - | pay attention |
| licht | - | light |
| licht i the midden | - | land in trouble |

| | | |
|---|---|---|
| lickit | - | tired out |
| lift | - | sky |
| loon | - | lad |
| loonie | - | idiot |
| loup | - | leap |
| lugs | - | ears |
| lunt | - | smoke |
| | | |
| maiks | - | old ha'pennies |
| mair | - | more |
| makars | - | poets |
| maun | - | must |
| meisslan | - | crumbling |
| minds | - | reminds |
| midden heid | - | top of rubbish tip |
| mirk | - | dark |
| muckle | - | large, great |
| | | |
| neep-heidit | - | stupid |
| nor | - | than |
| nocht | - | nothing |
| nyaff | - | small, insignificant person |
| | | |
| ocht | - | anything |
| oorlie | - | uncanny |
| outby | - | outside |
| owre | - | over, too |
| | | |
| peerie | - | little |
| pig in a poke | - | of little value |
| pitten | - | put |
| pouch | - | pocket |
| puckle | - | few |
| puttan stots | - | nudging bullocks |
| pyat | - | magpie |
| palins | - | wooden fence |
| pouder & pent | - | powder and paint |

| | | |
|---|---|---|
| red-wud | - | mad |
| redeless | - | unheeding |
| randy | - | dissipated person |
| reek | - | smoke |
| reishelt | - | rustled |
| reddit | - | tidied |
| ravellit | - | tangled |
| reemle-rammle | - | violent disturbance |
| raxins | - | tearings |
| riven | - | torn |
| roch | - | rough |
| rickle | - | pile |
| rowth | - | abundance |
| ruif | - | roof |
| ruits | - | roots |
| rowed | - | rolled |
| | | |
| saikless | - | innocent |
| sair | - | serve |
| sairins | - | deserts |
| sark | - | shirt |
| scart | - | damage-free, scot free |
| schule | - | school |
| scrieve | - | write |
| scunner | - | disgust |
| seik | - | sick |
| sclates | - | slates |
| sclairtan | - | spattering |
| sen | - | sense |
| semmits | - | vests |
| shilpit | - | thin, puny |
| shoggin | - | rocking |
| sicca | - | such a |
| siccar | - | safe |
| sicht | - | sight |
| sicht | - | small measurement |
| siller | - | silver |
| sinsheen | - | sunshine |
| skail | - | spill |

| | | | | |
|---|---|---|---|---|
| shaigh | - | wheedle | tint | - lost |
| skinklan | - | sparkling | trachlit | - burdened, harassed |
| skitan | - | skipping | trauchle | - struggle |
| slaisters | - | messy eaters | traikin | - walking wearily |
| slaps | - | gaps in a hedge | trockit | - exchanged |
| sleekit | - | sly | traipsin | - tramping |
| smeddum | - | spirit | trummlan | - trembling |
| smorry | - | having a thick, dense atmosphere | tuim | - empty |
| sneck | - | latch | tulziesom tykes - quarrelsome dogs | |
| snichers | - | sniggers | | |
| soun | - | sound | tyke | - useless, clumsy person |
| soopan | - | sweeping | | |
| souchan | - | whistling | usquebae | - whisky |
| speiran | - | questing, asking | | |
| snorl | - | confusion | wad | - would |
| starns | - | stars | wame | - stomach |
| stour | - | dust in motion | wally-draigle - good-for-nothing | |
| stobs | - | posts | | |
| stramash | - | noise and bustle | warslin | - struggling |
| straikit | - | stretched | watergaw | - rainbow |
| sturt | - | trouble | weans | - children |
| sweir | - | reluctant | wheen | - several |
| swither | - | dither | whiles | - sometimes |
| suin | - | soon | whud | - fast, silent movement |
| syne | - | then | win | - find one's way |
| | | | whins | - gorse |
| tare | - | spree | widden-heided - wooden-headed | |
| tapert | - | measured | | |
| tapsalteerie - upside down | | | wrocht | - worked |
| teeteran - tottering unsteadily | | | wyte | - blame |
| tent | - | care | wyse up | - become party to |
| teuchat | - | lapwing | | |
| thole | - | suffer | yetts | - gates |
| threipin | - | nagging | yon | - those |
| thrapple | - | throat | yirdit | - buried |
| thrawn | - | stubborn | yirth | - earth |
| thir | - | those | | |
| thrum | - | sing | | |
| til | - | to | | |

# C H A P M A N

*The Gangan Fuit* is the fifth in a new series of publications intended to promote new writers of outstanding talent. Many of these writers will already be known to readers of *Chapman*, Scotland's Quality Literary Magazine. This series is be chiefly devoted to poetry, but will also include prose and other writing.

If you have enjoyed reading this book, why not become a regular reader of the magazine and support it by subscribing. *Chapman* encourages the writers of today and the emerging talents of the future. Sorley MacLean, Norman MacCaig, Tom Scott, Naomi Mitchison, Alasdair Gray, Jessie Kesson, Liz Lochhead, Derick Thomson, Hamish Henderson are all regular contributors.

*Chapman* publishes new creative writing, poetry and prose, the best in criticism and other features of cultural interest, as well as an extensive reviews section.

Subscriptions from only £9.50 for 4 issues

## CHAPMAN PUBLICATIONS

## THE DIARY OF A DYING MAN - WILLIAM SOUTAR

The publication in an unabridged edition of this final volume of Soutar's many diaries, begun on 4 July, 1943, when he learned he had TB, four months before his death, shows him to be among the finest diarists of this century.

ISBN 0 906772 31 1 (£5.00 + 35 p&p)

## THE STATE OF SCOTLAND: CHAPMAN 35-6

(Reprint) Scotland: A Predicament for the Scottish Writer? A dynamic debate on culture in Scotland: language, literature, art, politics: Alasdair Gray, Alan Bold, George Kerevan, Aonghas MacNeacail, Iain Crichton Smith, T.S. Law, Joyce McMillan, Tessa Ransford, William Neill, George Davie. These stimulating essays are accompanied by equally stimulating poetry and fiction on the same theme of the State of Modern Scotland.

ISBN 0 906772 24 9 (£4.50 + 50p p&p)

from *Chapman*, 4 Broughton Place, Edinburgh EH1 3RX.

## THE CHAPMAN NEW WRITING SERIES

## AVOIDING THE GODS - IAN ABBOT

"Ian Abbot has contrived for himself a disciplined mode of utterance which registers striking correspondences with a geography memorably observed. His uncompromising expression of a mood and feeling speaks directly to and for a spirit of place caught in natural imagery precisely located ... This is an impressive debut." (Colin Nicholson, *Lines Review*)

ISBN 0 906772 13 3 (£3.95 + 35p p&p)

## BEYOND THE BORDER - JENNY ROBERTSON

"Jenny Robertson's verse has its beginnings in a deep well of compassion; and drawn up into sun and wind, each word falls bright and singing upon the stones of our world . . . "

(George Mackay Brown).

ISBN 0 906772 17 6 (£3.95 + 35p p&p)

## MADAME DOUBTFIRE'S DILEMMA - DILYS ROSE

From bric-a-brac dealers to sirens, wooden dolls to migrant workers, this collection gives voice to the individual and archetypal with energy, economy and striking imagery.

ISBN 0 906772 23 0 (£4.50 + 35p p&p)

## STING - GEORGE GUNN

This new collection from the Caithness poet & playwright reveals a mind grappling with the problems of modern society. His wild, anarchic voice pays no homage to convention and sounds a note of protest against all accepted things.

ISBN 0 906772 29 X (£4.95 + 40p p&p)

## SINGING SEALS - GORDON MEADE

These are poems which evoke the east coast of Scotland, its geopoetic landscape, its shore-bound and marine life, and the mysteries of the seas beyond, all seen through Meade's keen and knowing eye.         ISBN 0 906772 35 4 (£5.00 + 35p p&p)

*Ellie McDonald writes in an authentic Scots but, like the forms of the poems, the language is firmly of the late 20th century. Many of the poems are a development of the Scots lyric tradition but there is not a hint here of false sentimentality. Indeed the bite in the tale of her modern lyricism is one of the strengths of these joyfully vigorous poems.*

- Duncan Glen.

*Her strength is in her vividly alive language, and above all the genuineness of her Scots: its temper and pith manifest in her poems of her Dundee background. Wit, shrewdness, good humour are here, not only in her comments on the urban scene but going beyond this into other areas such as the theme of the Garden of Eden - a warm and sympathetic imagination.*

- George Bruce.